毛笔入门教程

欧阳询《九成宫》

楷书入门教程

张克江　　编写

长江出版传媒
Changjiang Publishing & Media

湖北美术出版社
Hubei Fine Arts Publishing House

图书在版编目（CIP）数据

欧阳询楷书入门教程/张克江编写.—武汉：湖北
美术出版社，2012.9（2021.3重印）
（毛笔入门教程）
ISBN 978-7-5394-5380-4

Ⅰ.①欧… Ⅱ.①张… Ⅲ.①楷书-书法-教材
Ⅳ.①J292.113.3

中国版本图书馆CIP数据核字（2012）第157387号

毛笔入门教程
欧阳询楷书入门教程
张克江　编写

出版发行：长江出版传媒　湖北美术出版社
地　　址：武汉市洪山区雄楚大道268号B座
邮　　编：430070
电　　话：（027）87391503　87679529
网　　址：http://www.hbapress.com.cn
E－mail:hbapress@vip.sina.com
印　　刷：武汉市卓源印务有限公司
开　　本：880mm×1230mm　　1/16
印　　张：5
版　　次：2012年9月第1版　2021年3月第15次印刷
定　　价：18.00元

序　言

一、 什么是中国书法

　　中国书法是关于汉字书写的艺术。汉字以象形为基本的成字方式，主要有六种，即所谓的"六书"：象形、指事、会意、形声、假借和转注。虽然现在的汉字已经由于书写的演变而离开了象形，但其原形还是以象形为基础，是从画变更为字的。因此，汉字和关于汉字的书写方法，本身就是一种艺术。例如，汉字笔画的多少、疏密和形态，汉字结构的千姿百态，婀娜多姿，加之书写者的性情特征等，都构成了汉字书法艺术的内涵和要求。

　　中国书法的起源是从汉文字的形成开始的。从现有的文字资料来看，最早的汉字是"甲骨文字"，它是在殷商时代，人们将文字契刻在龟甲兽骨上，故而得名，也称"契文"。"甲骨文字"体现的"六书"的成字方式比较清楚，已经是一种较成熟的文字。

　　周朝晚期至秦统一之前，出现了"金文"、"石鼓文"，我们将这些文字统称为"大篆"，它是一种比"甲骨文字"更加抽象，更加趋于工整的文字。

　　秦始皇统一"六国"之后，大力推行"书同文"，在全国规范文字，出现了"小篆"，小篆也称"秦篆"，它是在"大篆"的基础上，按照易辨、易写、易推广的原则制定的一种规范篆书。

　　隶书始于秦，兴盛于汉代，相传是由秦吏程邈在狱中创造的。它比正规的篆书书写更加方便，是汉代公文、立碑的正式文字。此外，汉代还出现了在竹简木牍上书写形成的"简书"，为书写方便，而形成的"章草"，"今草"就是从"章草"发展演变而来的。

　　魏晋时代的书法艺术达到了空前的高度。钟繇等人使楷书初步定型，王羲之父子使行书、草书达到了成熟的高峰。他们的贡献，对后来的书法艺术产生了十分重要的影响。

　　唐朝是楷书发展的鼎盛时期，初唐的几位书法大家，如虞世南、欧阳询、褚遂良等，将隋以来的楷书更进一步法度化，建立了尚法的唐楷典型；颜真卿、柳公权等也为唐楷法度的建立作出了重要贡献。唐代在书法史上，是继魏晋之后又一个辉煌的时期。

在上述基础上，中国书法又经过了宋、元时代、明、清时代的不断发展，至今已经成为了世界艺术宝库中的一颗璀灿的明珠。

纵览中国书法历史，我们无不感到祖先的勤劳和智慧，无不感到我们祖国的伟大。作为炎黄子孙，我们要继承祖先留传给我们的这一优秀文化，积极努力地承担起历史的责任，使我们的书法艺术更进一步发扬光大，流芳千古，永世辉煌。

二、笔、墨、纸、砚

笔、墨、纸、砚是书法的基本工具，自古以来，就有"文房四宝"之称。

毛笔当称为文房四宝之首。毛笔从笔锋原料来看，可分为三类：一是用兔毫、狼毫、鼠须、鹿毫、豹毫为原料制作的毛笔称为硬毫笔。二是用羊毫、鸡毫、胎毫为原料制作的毛笔称为软毫笔。三是软硬毫兼用的毛笔，如"七紫三羊"、"五紫五羊"、"三紫七羊"及各号称之为"白云"的毛笔即是。

墨从品种来看，可分为油烟和松烟两种。油烟墨是用油烧烟再加入胶料、麝香、冰片等制成。松烟墨则是用松树枝烧烟，再配以胶料、香料而成。油烟墨质地优良、坚实细腻，乌黑发光；松烟墨色黑但缺少光泽，胶质较轻。

造纸是我国古代四大发明之一。中国的古老造纸术对世界文明作出了巨大的贡献。

在造纸术被发明之前，汉字被契刻在甲骨上，铭铸于青铜器上，书写于竹简、木牍、帛书上。我国古代造纸大抵从东汉蔡伦造纸开始，后经不断发展进步，到了隋唐五代，我国的造纸术已传播到国外，宣纸的大量出现在唐代就已经开始，一直沿用至今。今天的书法爱好者除选用宣纸和皮纸外,练习时常用竹纤维纸和用稻草纤维制作的元书纸,既经济又实用。

砚是古人用来研磨墨和盛墨所用,有端砚和歙砚两大名贵种类。古人用的砚除具有实用价值外,还兼有象征身份、地位和工艺品的价值。

三、写字姿势和执笔方法

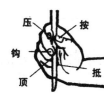

1、正确的写字姿势。双足分开,其距离与上部双肩相等;双足必须很自然地踏稳地面;腰、背都应很自然地伸直,切忌僵硬用力;两肩应齐平,不得左高右低或右高左低,前胸正向桌边,与桌边至少要相隔一拳头以上距离。

2、执笔的方法。执笔的基本原则主要有三条,一是使笔管垂直,二是指实掌虚,三是切忌握笔过紧。手指捉笔的姿势大致有三指执笔和五指执笔两大类。正确理解执笔原则和方法是每位初学书法的人必须掌握的基本功。

四、关于笔法

1、起笔。古人对书法的用笔作了精准的论述:"用笔须沉着,虽一点一画之间,皆须三过其笔"。也就是说,我们在写一笔一画的过程中,都要关注三个组成部分,即起笔、行笔和收笔,简称为"三折法"。

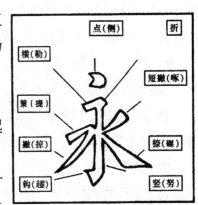

起笔是一画的开始,也称之为"落笔"或"发笔"。起笔可分为平起、侧起、逆起三种,其笔锋有藏有露,形态有方有圆。

所谓平起,也就是笔锋和笔画方向一致,从左至右,由轻而重行笔,笔锋不上翘,多呈细尖状。侧起是指下笔稍顿,然后调整笔锋,再向右行笔。起笔处呈一斜面,如刀削。逆起即笔锋逆向落笔,然后折回向右行笔。逆起可分为藏锋逆起和露锋逆起两种。

2、行笔。行笔在书法上又叫"走笔"。行笔时要求中锋走笔,注意力量、速度的把握,即轻重、徐疾、提按等。

3、收笔。收笔是一个笔画的结束,凡事有始有终,有往有收,这是自然的法则。收笔有露锋收和藏锋收两种,但都必须力至笔端,不可虚晃而过。

4、中锋。中锋是指书者的笔心要在所书写的笔画痕迹的中间走,而不是上侧或下侧。中锋行笔有利于笔画的厚实和光泽,有利于笔画的丰满和骨力的形成。

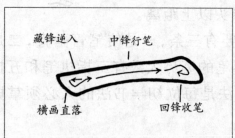

5、侧锋。侧锋是指笔锋在笔画痕迹中的一侧运行,一般规律是笔偃则侧。侧锋能使笔画神采飞扬,清秀劲朗。但不能久侧,久侧由呈虚弱的病态。

6、藏锋。藏锋是指笔锋的锋芒内敛在笔画中间而不外露,藏锋巧妙,可以使笔画呈现出含蓄之美。

7、露锋。露锋是笔锋的笔芒外露,其用笔直截了当,痛快淋漓,给人的感觉是精神外露,神情毕现,俊秀可人。

8、转锋。在笔画运行过程中,有时有转折的部位,为了美观地实现转折,遂用转锋。所谓转锋,即指笔毫触纸后稍提起,然后转换笔锋,作曲度较大的弧线运动,"以转成圆"。

9、折锋。折锋是先顿笔,然后稍提锋,紧接着改变行笔方向,作折线运行。折锋巧妙,使笔画的棱角清晰,"折以成方",险峻之神毕现。

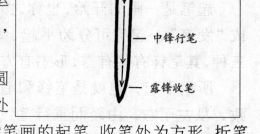

10、方笔。在书法名词中,对方圆的解释即为笔画起笔、收笔和行笔处的形状和笔画的运行方式。方笔是指笔画的起笔、收笔处为方形,折笔

—4—

处有棱角。方笔是从隶书中继承的笔法，方笔的使用，使笔画深沉而厚重，险峻而富有骨力。

11、圆笔。圆笔是指笔画的起笔、收笔和转折处圆润无棱角，起笔用裹锋（笔锋保持圆锥状），收笔用转锋，是从篆书中继承和发扬的一种运笔方法。圆笔使笔画呈现内敛沉静、筋血丰满之态。

12、提笔和按笔。书法的运笔实际上有两种力量和运行方向，一是向前后、上下运动的平面运动，这种运动一般呈"S"形；另一种运动为纵向运动，是由执笔者相对纸平面，从纸"外"向纸"内"不断加力和减力的运动，这种运动以力量的大小为主要特征，用力向下按为按笔，将笔上提为提笔。提笔和按笔是运笔的重要手段，是使笔画形成粗细对比，产生节奏和韵味的关键。因此，在学习书法过程中，要不断反复练习，认真体会。

书法运笔的提按极为多见，变化也很多，一般有如下运笔动作：

（1）抢笔：指行笔至笔画尽处，提笔离纸时的"回力"动作；

（2）顿笔：指在垂直纸的方向作向下重按的用力动作；

（3）蹲笔：指按笔动作力量小于顿笔的动作；

（4）驻笔：指按笔动作小于"顿"和"蹲"的动作，驻笔用于蓄势，而不作用于形；

（5）挫笔：指运笔时突然停止，提笔变向再按的动作；

（6）衄笔：笔锋既下行又逆返，与回锋不同，回锋用转，衄锋用逆；

（7）翻笔：指运笔过程中翻转笔势急速而行，后一笔的开始和前一笔的结束处重叠，其状多呈方形；

（8）绞笔：指运笔过程中环转笔势缓慢而行，前后两笔一般不重叠，其状多为圆形；

（9）放笔：由提笔圆转而出，动作跨度大。

笔画的书写是一个非常复杂的过程，形态的千变万化，力量的变化多端，方向和角度的千差万别，是学书者需要长久，乃至一生都应该勤学苦练的过程。所谓书法以用笔为上，正是说明了笔法在书法中的作用和地位极其重要。重结构轻笔画，或重章法轻笔画都是很多人学书难成的重要原因之一，希望以此共勉。

五、欧阳询及其书法艺术

　　欧阳询（557-641），字信本，潭洲临湘（今湖南省长沙市）人。他是我国古代初唐时期最杰出的四大书家（欧阳询、虞世南、褚遂良、薛稷）之一，他的楷书是一千多年来人们一直学习的典范。

　　欧阳询的书法以王羲之、王献之的书法为基础，取法于六朝北派碑版，并吸取了诸家之长加以融会贯通，从而形成了自己的独特风格。他的书法以用笔精到，笔画方润，结体秀丽而险峻为显著特点，因而备受后世人的广泛而持久的赞誉。欧阳询和颜真卿、柳公权、赵孟頫并称为四大楷书宗师。

　　本帖选自《九成宫醴泉铭》。该碑建于唐贞观六年（632年），由魏征撰文，碑文记载唐太宗在九成宫避暑时发现涌泉的事，是欧阳询的晚年代表书作。此碑法度谨严，笔力刚劲，点画工妙，意态精密，腴润有致，纤浓得当，峻挺险峭，最适宜初学者临摹，故被历代学书者所重，多奉为范本，对后世书法影响很大。

　　学习欧体字的楷书结构要循序渐进，首先要尽量掌握欧体字的艺术特点，在此基础上要认真学习欧字的基本笔画和偏旁部首，再进行结构基本知识的学习。本帖尝试从欧字的一些基本笔画、偏旁部首和结构特征出发，探讨欧字书写的基本规律。在这个过程中，编者参考了前人诸多名家对欧字深入研究的成果，加之编者多年练习欧字的一些体会，作了一些浅显的说明，在此一并奉献给青少年朋友，希望和大家共勉。

长　横

　　1. 逆锋向左上角起笔；2. 折锋向右下方顿笔；3. 提笔转锋蓄势向右铺毫力行；4. 提笔转锋向右下顿笔作围；5. 提笔回锋收笔。

短　横

　　1. 逆锋向左上角起笔；2. 折锋向右下方顿笔；3. 提笔转锋蓄势向右铺毫力行；4. 提笔转锋向右下顿笔作围；5. 提笔回锋收笔。

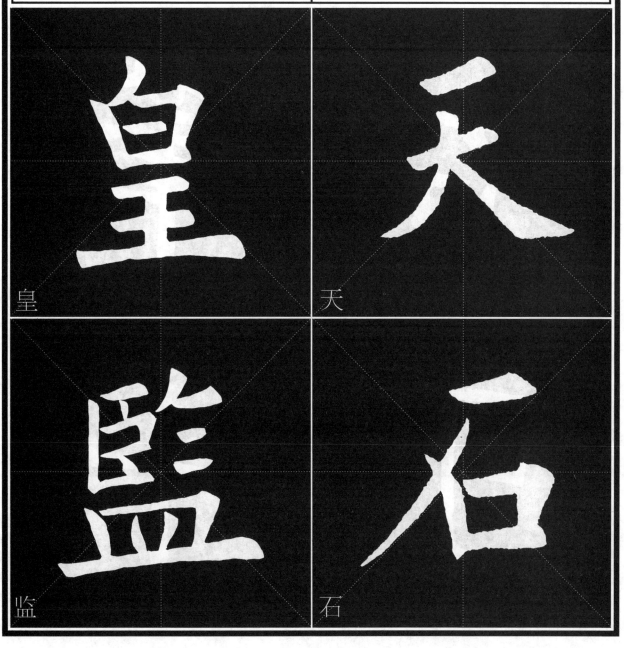

皇

天

监

石

长弓横

1. 逆锋向左上角起笔；2. 折锋向右下方顿笔；3. 提笔转锋蓄势向右行笔，中间部分稍轻，稍呈弓形；4.提笔转锋向右下顿笔作围；5. 提笔回锋收笔。

悬针竖

1.逆锋向左上角起笔；2. 折锋向右下方顿笔；3. 提笔转锋蓄势向下铺毫力行；4.行笔至三分之二处力量逐渐减小，末端处呈针尖状，力至笔端。

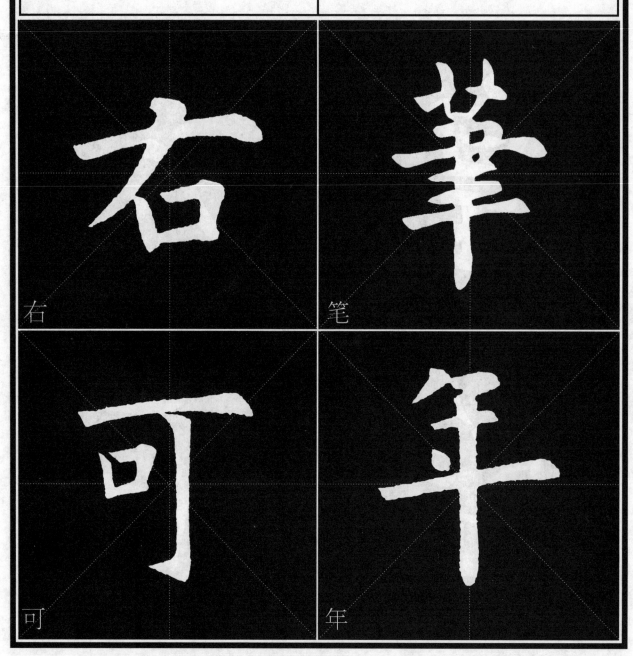

右

笔

可

年

中垂露竖

1.逆锋向左上角起笔；2.折锋向右下方顿笔；3.提笔转锋蓄势向下铺毫力行；4.至末端处提笔向右下顿笔；5.提笔回锋收笔。

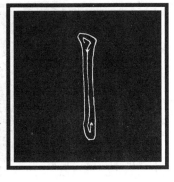

左垂露竖

1.逆锋向左上角起笔；2.折锋向右下方顿笔；3.提笔转锋蓄势向下铺毫力行，中部略呈弧形；4.至末端处提笔向右下顿笔；5.提笔回锋收笔。

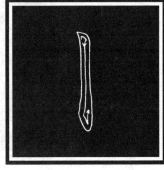

奉

闭

针

阁

竖 点

1.自左上方逆锋起笔；2.折笔向右偏下顿笔；3.向下方折笔后蓄势向下行笔；4.转笔后向上方回锋收笔。

侧 点

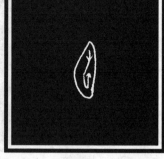

1.自上方顺锋起笔；2.向左下方边转边按笔；3.向右下方边转边按笔；4.折笔向上回锋收笔。

宇

家

官

安

左点

　　1.自上方向下顺锋起笔；2.向左下方边转笔边按笔；3.向右下方折笔按笔；4.折笔后向上回锋收笔。

右点

　　1.自左上方向右下方顺锋起笔；2.顺势边转笔边按笔；3.向左下方边转笔边按笔；4.转笔或折笔后回锋收笔。

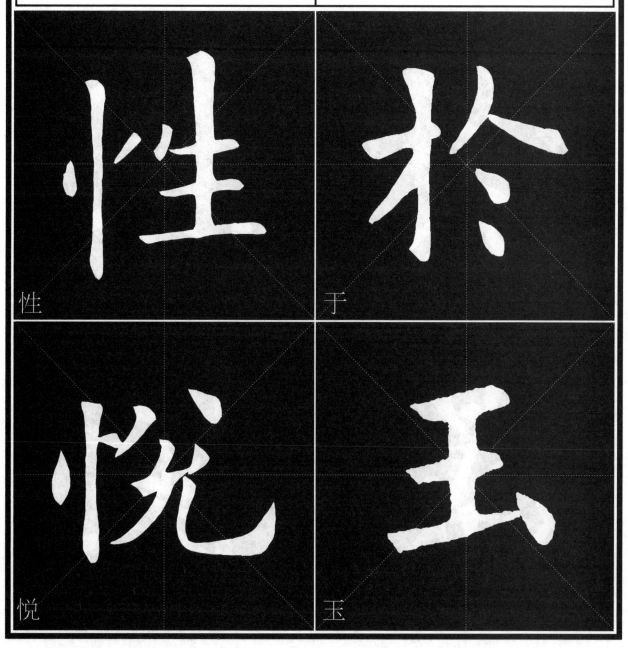

性

于

悦

玉

撇　点

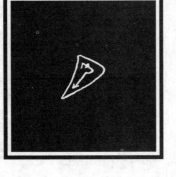

1.自下而上逆锋起笔；2.折笔向右下方顿笔；3.转笔蓄势后向左下方写小撇，力至笔端。

反捺点

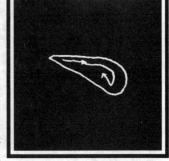

1.自左上方向右下方顺锋起笔；2.顺势向右下方边行边按笔，力量逐步增大；3.转笔后回锋收笔。

成

深

盛

怀

相向点

1.先写左点，后写右点；2.左点既可藏锋起笔又可露锋起笔；3.右撇点与左点相互取势，相互呼应。

横　钩

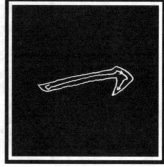

1.逆锋向左上角起笔；2.折锋向右下方顿笔；3.提笔转锋蓄势向右铺毫力行；4.至钩处提笔上昂后向右下方顿笔；5.提笔转锋向左下方出钩，注意中锋行笔。

兹

冠

遂

当

竖钩

1.逆锋向左上角起笔；2.折锋向右下方顿笔；3.提笔转锋蓄势向下铺毫力行；4.至钩处向右下轻顿；5.向上回锋蓄势后向左上方出钩。

斜钩

1.逆锋向左上角起笔；2.折锋向右顿笔；3.提笔折锋蓄势向右下带弯铺毫力行；4.行笔至出钩处稍稍顿笔后折锋向上，再驻笔蓄势向右上出钩。

扶

几

引

咸

竖弯钩

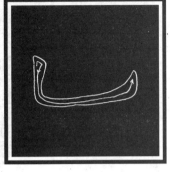

1. 逆锋向左上角起笔；2. 折锋向右下方顿笔；3. 提笔转锋蓄势向左下方铺毫缓行；4. 至竖的末端处一路圆转后向右铺毫行笔；5. 至出钩处提笔折锋向右，驻笔蓄势后向上提笔出锋。

背抛钩

1. 藏锋或顺锋起笔；2. 蓄势后向右偏上行笔；3. 折处提笔向右下方顿笔，再折笔右下方蓄势，写斜弯钩。

也　气

池　凤

竖平钩

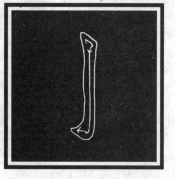

1. 藏锋或顺锋起笔写竖；2. 出钩处顺势向下驻笔后再提笔转锋向左按笔，然后顺锋向左出钩。

长 挑

1. 逆锋向左下方起笔；2. 折锋向右下方顿笔；3. 提笔转锋蓄势向右上方行笔；4. 力量逐渐减小，力至笔端，注意中锋行笔。

宇

物

乎

我

短　挑

1.逆锋向左下方起笔；2.折锋向右下方顿笔；3.提笔转锋蓄势向右上方行笔；4.力量逐渐减小，力至笔端，注意中锋行笔。

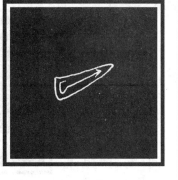

挑　点

1.逆锋向左下方起笔；2.折锋向右下方顿笔；3.提笔转锋蓄势向右上方行笔；4.力量逐渐减小，力至笔端，注意中锋行笔。

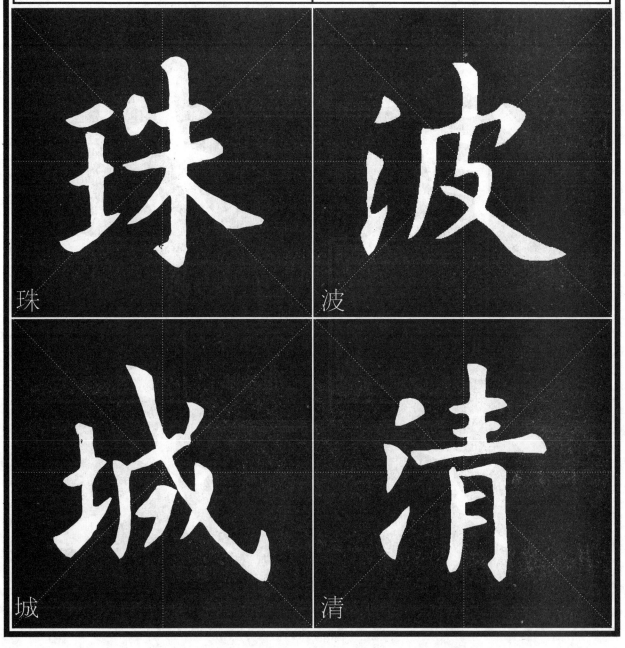

珠

波

城

清

斜　撇

1.逆锋向左上角起笔；2.折锋向右下方顿笔；3.提笔转锋蓄势向左下方撇去；4.力量逐渐减小，力至笔端，注意中锋行笔。

新月撇

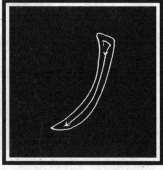

1.逆锋向左上角起笔；2.折锋向右下方顿笔；3.提笔转锋蓄势向左下方撇去；4.力量逐渐减小，力至笔端，注意中锋行笔。

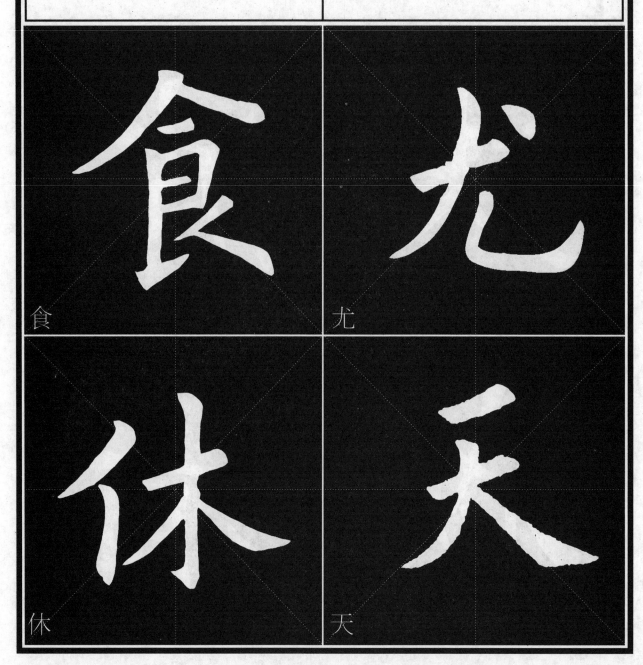

食

尤

休

天

回锋撇

1. 左上方逆锋起笔；
2. 折锋向右下方顿笔；3. 提笔向左下方写弯，中间部分提笔敛锋，不宜过肥；4.至末端处向左下方挫笔后，提笔向上回锋，再挫笔蓄势，向左上方出钩。

柳叶撇

1. 自上方顺锋起笔；
2. 顺势向左下方写撇，中间部分力量逐渐增大；3.稍稍驻笔后提笔继续向左下方写撇，力量逐渐减小，力至笔端；4.该撇两头尖，中间肥，但重心要稳。

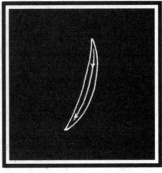

凤　般

疾　应

长斜撇

1.逆锋向左上角起笔；2.折锋向右下方顿笔；3.提笔转锋蓄势向左下方撇去；4.力量逐渐减小，力至笔端，注意中锋行笔。

短斜撇

1.逆锋向左上角起笔；2.折锋向右下方顿笔；3.提笔转锋蓄势向左下方撇去；4.力量逐渐减小，力至笔端，注意中锋行笔。

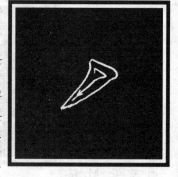

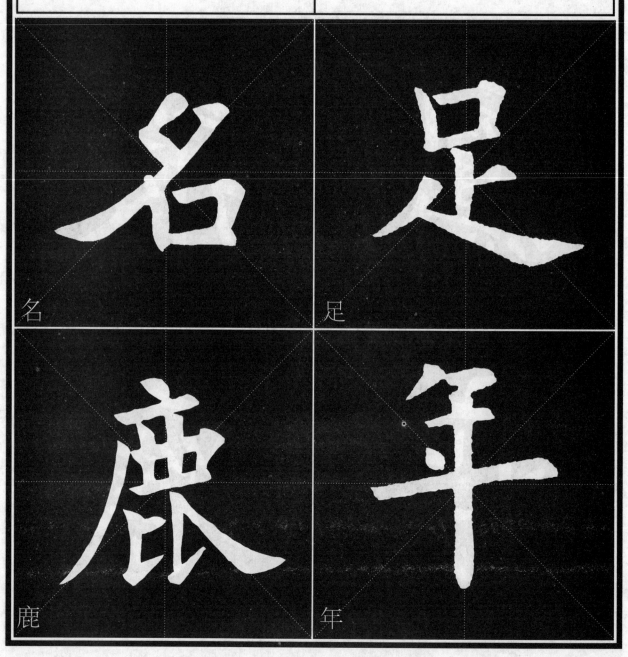

名

足

鹿

年

平　撇

1.逆锋向左上角起笔；2.折锋向右下方顿笔；3.提笔转锋蓄势向左下方撇去；4.力量逐渐减小，力至笔端，注意中锋行笔。

斜　捺

1.自左上方逆锋起笔；2.折笔向右轻顿后，转锋向右下方行笔；3.行笔过程中力量逐渐增大；4.至捺脚处顿笔后，提笔向右出锋，捺画要一波三折。

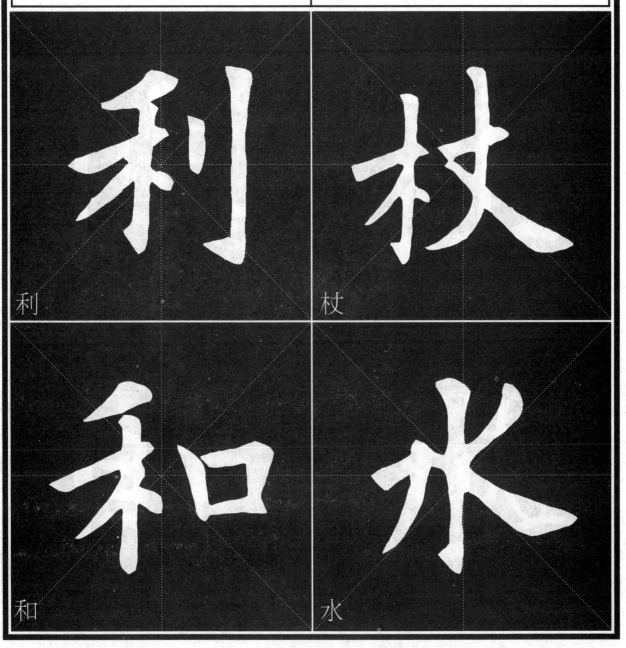

利

杖

和

水

平　捺

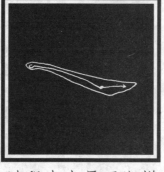

1. 自左上方逆锋起笔；2. 折锋向右轻顿后，转锋向右下方行笔；3. 行笔过程中力量逐渐增大；4. 至捺脚处顿笔后，提笔向右出锋。平捺要比侧捺的水平角度小，更加平稳。

横　折

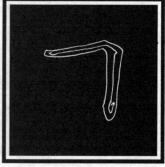

1. 逆锋向左上角起笔；2. 折锋向右下方顿笔；3. 提笔转锋蓄势向右铺毫力行；4. 至折处提笔上昂后向右下方顿笔；5. 提笔向下铺毫力行后回锋收笔。

游

则

避

相

撇折

1.先藏锋写撇；2.撇的末端处提笔向右下方顿笔；3.折笔向右上方蓄势后向右上行笔，力量逐步减小，力至笔端。

单人旁

1.先写上斜撇，再写下竖；2.上斜撇应昂头，同时要写得凝重，其角度一般在45°左右；3.竖要写成垂露竖，切勿写成悬针竖，同时该竖的上端应驻于撇的中腹部，且要注入撇画的笔画里。

玄　何　怡　仁

竖心旁

1.先写左点，后写竖，再写右点；2.左右两点左点低右点高，同时两点应相互呼应，两点的位置应驻于竖的中上部分；3.竖应写成垂露竖。切勿写成悬针竖，同时竖不宜写得肥重。

双人旁

1.先写上撇，再写下撇，后写竖；2.上撇应写短且凝重，下撇稍舒展，同时该二撇的角度和方向应有所不同，下撇的上端应顶向上撇的中腹部；3.竖要写成垂露竖，书写时应捉笔敛锋，以体现其筋骨，同时竖的上端应注入撇的画里。

怀

往

惜

德

提土旁

1.先写横,再写竖,后写提;2.横画应写成方笔,以体现其厚重感;3.竖画应捉笔书写,以体现其精骨;4.提画应写得厚实,以托起其上部笔画;5.提土旁不宜宽,以避让其右部笔画。

三点水

1.先写上点,后写下点,再写提;2.上两点在形态和方向上应有所变化,既可写成方点也可写成圆点;3.提画应写得厚重,以托起其上部笔画;4.三笔应形断意连,其重心稳固。

坤

海

地

汉

示字旁

1. 先写上点，再写横撇，后写竖和右点；2. 上点应昂头立起，当横长时撇应短，反之亦然；3. 竖为垂露竖，其上端应顶向上点；4. 捺应收缩为点，以避让其右部笔画。

提手旁

1. 先写横，再写竖钩，后写提；2. 当横画长时，提应缩短，反之亦然；3. 竖钩应垂直，横画用笔为方笔，使其厚重；4. 钩画应写得厚实，出钩不宜太长，以含蓄. 稳健为佳。

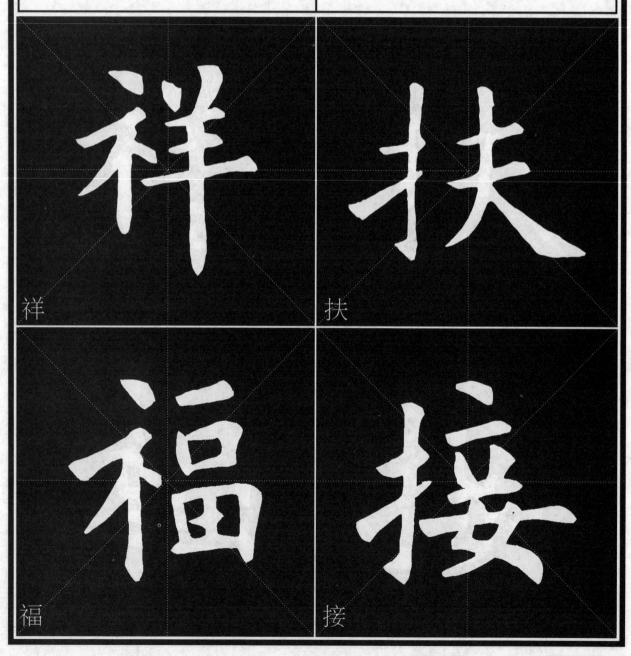

祥

扶

福

接

绞丝旁

1. 先写撇折再写下撇折和点，后写下三点；2. 上撇折的起笔应昂头立起，下撇折的起笔向右伸展，点不宜突破折画的上端之右；3. 下三点形态不一，要写得稳重而有变化。

言字旁

1. 先写上点，再写三横，后写口；2. 上点昂头立起，且偏向右；3. 三横的上横应稍长，覆盖下部，下两横长短参差，方向不一；4. 口不宜过大，但要写得轮廓分明，稳重而不失清秀。

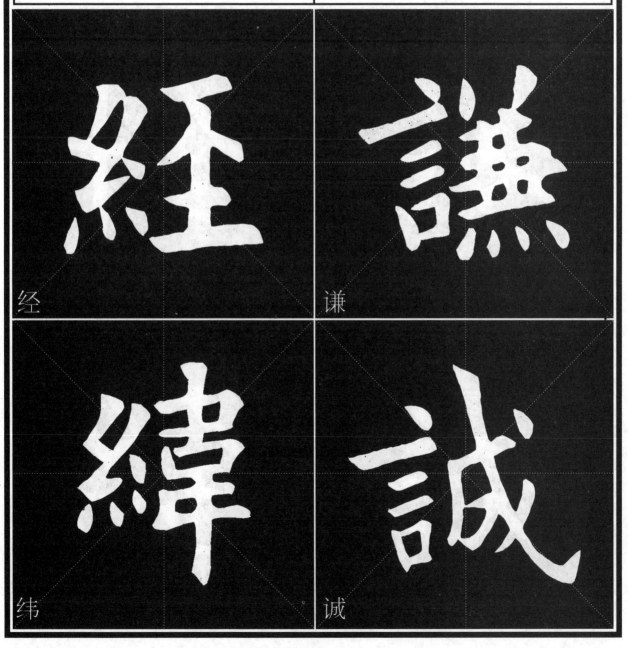

经

谦

纬

诚

女字旁

1. 先写撇折点，后写斜撇，再写横；2. 撇的起笔都为方笔，横画改写为提，有一定斜势；3. 斜撇和捺点的交点与上撇的起点在同一垂直线上。

金字旁

1. 先写上撇和横，再写下两横和竖，后写两点和底横；2. 上撇起笔为方笔，横可缩写为点；3. 下三横的长短和方向及形态应有所不同；4. 竖要清秀而有骨力，且要顶向撇的起点；5. 两点左右呼应，分布于竖的两边。

如

针

始

铭

立刀旁

1. 先写短竖,再写竖钩;2.短竖不宜过长,也不宜过短;3.竖钩的起笔既可以为方笔也可以为圆笔,但竖一定要垂直,其钩的出钩方向一般要对准字的重心。

反文旁

1.先写斜撇,再写横,后写撇捺;2.撇可写成斜撇也可写成弯头撇,但不宜过长;3.横的起笔在撇的中腹部,撇画要轻写,但不能飘浮,捺要重写,以稳定全字的重心。

测

效

利

敢

斤字旁

1. 先写上平撇,再写左竖撇,后写横和竖;2.上撇必须用平撇,竖撇可改写为竖钩撇以体现其筋骨;3.竖可写为垂露竖也可写成悬针竖,但必须垂直。

力字旁

1. 先写横折斜钩,再写长斜撇;2.横折斜钩的起笔既可用方笔也可用圆笔,其横向右上斜,其钩要对准起笔的方向;3.斜撇起笔可方可圆,力要送至笔端,力字旁一般驻于字的右下部位,左右底部平齐。

斯

勤

斫

动

隹字旁

1. 先写撇和竖,再依次写其右部笔画;2.上撇不宜长,竖画不宜短,而且该竖要写成垂露竖,挺拔有力;3. 其右部横画的间距要相等,竖要顶住其上部点画,并且不宜写长。

走之旁

1. 先写上点,后写横折折撇,再写底捺;2.上点昂头挺立,与横折折撇和底捺的交点在同一垂直线上;3.横折折撇收缩,底捺舒展而平稳。

唯

远

虽

游

见字旁

　　1.先写左竖,再写横折,后写三横及撇和竖弯钩;2.左竖用垂露竖,要写得清秀而有骨力,横折的起笔为方笔,笔画厚实而稳重;3.三横长短.方向不一,间距相同;4.左撇不宜太开张,竖弯钩充分伸展,底部平稳。

建字旁

　　1.先写横折折撇,再写底捺;2.横折折撇的上部横画不宜写长,折要收紧,但其下撇要伸展,力至笔端;3.底捺要平,捺的写法要一波三折。

睹

觐

迹

观

延

常字头

1. 先写短竖,再写其左右两点,后写左点和横钩;2.短竖应驻于字的中心垂直线上,左右两点围其左右相互呼应,此三笔不宜宽大;3.除个别字外,常字头的横钩应写宽阔,以覆盖其下部笔画。

宝盖头

1. 先写上点,再写竖点,后写横钩;2.上点一般驻于字的中心垂直线上,横钩要平,竖点有时垂直;3.宝盖头除个别字外,一般应宽大,以覆盖其下部笔画。

当

家

尚

宝

人字头

1.先写撇画，再写捺画；2.撇画一般较瘦和轻，捺画一般较重且捺脚肥厚；3.撇和捺舒展开阔，撇的起点高，落点低，捺画的起点低，而捺脚高。

京字头

1.上点要写得厚重，一般用方点，且该点一般要驻于字的中心垂直线上；2.横画一般要写成长横，该横要覆盖整个字的下部分笔画，该横左低右高，但在视觉上是平稳的。

令

玄

舍

文

春字头

1. 先写三横,再写撇捺;2.三横的长短.方向以及形态应有所变化,其间距应相等;3.撇应写舒展,捺应写厚重,春字头一般应比其下部宽阔, 以覆盖其下部笔画。

羊字头

1. 先写上两点,再写上两横,后写竖和底横;2.上两点左右呼应,不宜过大;3. 三横的长短和方向及形态应有所变化,上横应稍写长;4.短竖不宜写长,同时应驻于字的中心垂直线上。

泰

善

奉

美

白字头

1.先写短斜撇,后写左竖,再写横折和两横;2.短斜撇的起笔点在字的中心垂直线上;3.横的间距相等;4.口部上宽下窄;5.内横右留空以通气。

草字头

1.先写左竖,再写左提,后写撇和短横;2.竖和撇不宜过长,同时应遵循左收右放的原则;3.古人在书写草字头时,将横分做两段写,其目的在于体现笔画的节奏感,并取得布白上的艺术感觉。

泉

笔

皇

万

尸字头

1. 先写横折，再写横，后写撇；2. 尸字头为半包结构的包围部分，因此横画要写长，以覆盖其下部笔画；3.撇画要用竖撇，行笔要舒展，力至笔端。

广字头

1. 先写上点，再写横，后写撇；2. 广字头为半包围结构的包围部分，因此其横画要写长，以覆盖其下部笔画；3.上点要凌空取势，撇画要舒展有力，力至笔端。

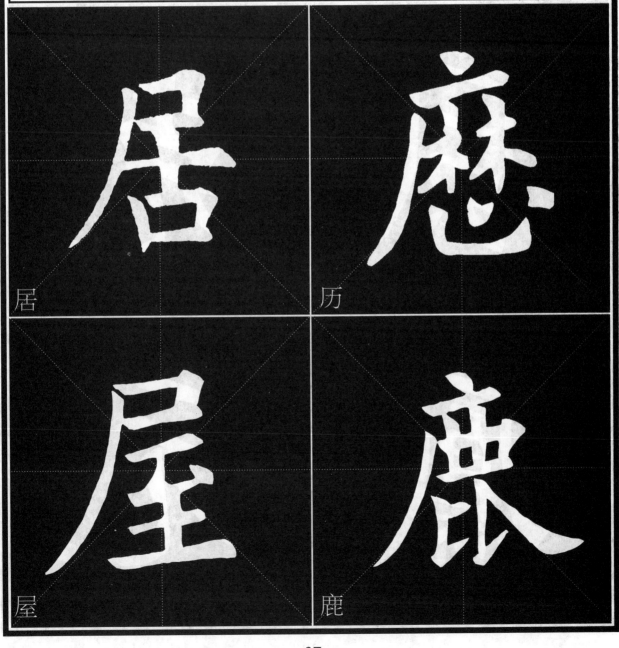

居

历

屋

鹿

风字头

1.先写左撇,后写背抛钩;2.左撇写成回锋撇,以充分展示其骨力和清俊;3.背抛钩折画清楚,骨力显现,斜钩挺拔有力,出钩开张而含蓄;4.框架上窄下宽,上斜下平。

儿字底

1.先写左撇,后写右部竖弯钩;2.左撇收缩,但要舒展有力;3.竖弯钩的竖呈斜势,底部平正,钩充分开张,出钩厚重。

风　克

凤　元

王字底

1. 先写上两横，后写中竖，再写底横；2.上两横起笔或藏锋或露锋，长短据字不同具体安排；3.中竖驻字的中心垂直线上；4. 底横平稳有力，托起其上部；5.王字底一般不宜写宽。

巾字底

1.先写左竖，再写横折钩，后写竖；2.左竖要用垂露竖，但不宜写得过肥，横折钩的折处和钩要写得轮廓分明，厚实而健壮；3.竖画要挺拔有力,力至笔端,且要垂直。

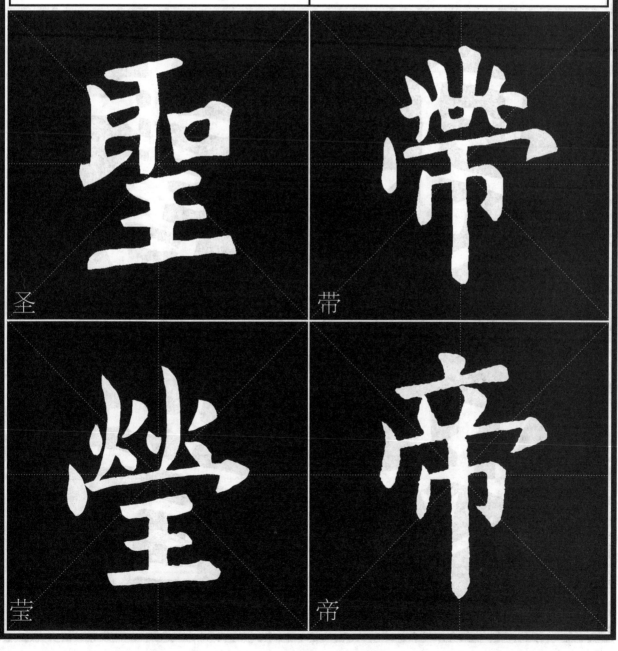

圣

莹

带

帝

心字底

1. 先写左点，再写卧钩，后写中点和右点；2. 左右两点既可用方笔也可用圆笔，但笔锋不从中出，而中点的笔锋要从中出，以与右点相呼应；3. 卧钩重心要平稳，出钩有力。

日字底

1. 先写左竖，后写横折，再写内横和下横；2. 左竖用垂露竖；3. 横画间距相等，内横右留空以通气；4. 口框或上下等宽或上宽下窄，据字不同具体安排。

恩　书

思　昔

国字框

1. 先写左竖,再写横折钩,后写底横;2.该框左低右高,竖画挺拔有力,为相向笔画,四角平稳,内含空间大;3.左竖起笔为方笔,笔画沉稳,横折起笔也为方笔,行笔稳健,折为圆笔,钩画含蓄有力,底横平稳。

结字平正

下列字的横向笔画一般都要求平正,抗肩角度较小,同时横向笔画的长短要有收有放;纵向笔画垂直有力,字的布白要合理。

点竖对齐

　　下列字的特点是顶部都有点画，其下部都有垂直的竖笔。这类的字一般要求竖和点在同一垂直线上，若点居中则竖画也居中。

竖画对齐

　　下列字的特点是竖断，这类的字上下二竖虽然隔断，但应互相对应垂直，避免偏侧。

率

蔽

璧

高

二竖对峙

下列字的特点是竖画中间隔断，这类的字要求二竖要相互对应，一般写平行，形断而意连。

横画多的字

下列字的特点是横画多，这类的字要务求长短各异，一般来讲中横要写长些，其他的横要相对写短；同时横画的角度和形态也应不同。

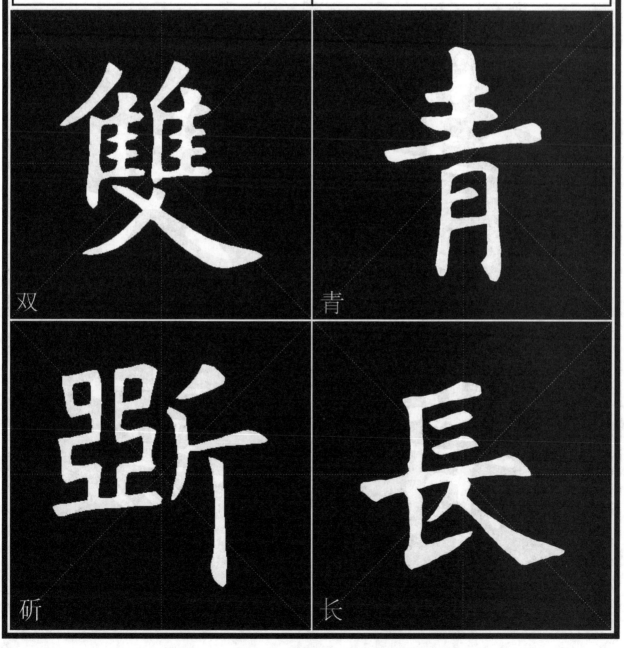

双

青

斫

长

竖画多的字

下列字的特点是竖画多,这类的字要求各个竖要有所变化,长短、方向、角度都不同,一般来讲字的中间竖要写长些,同时要垂直,其他竖要写短些。

四竖并列

下列字的特点是在一字或同一部件当中有四个竖画并列,书写这类字时,应对竖画作长短、高低、曲直、形态和角度的不同处理,并确保其间距统一。

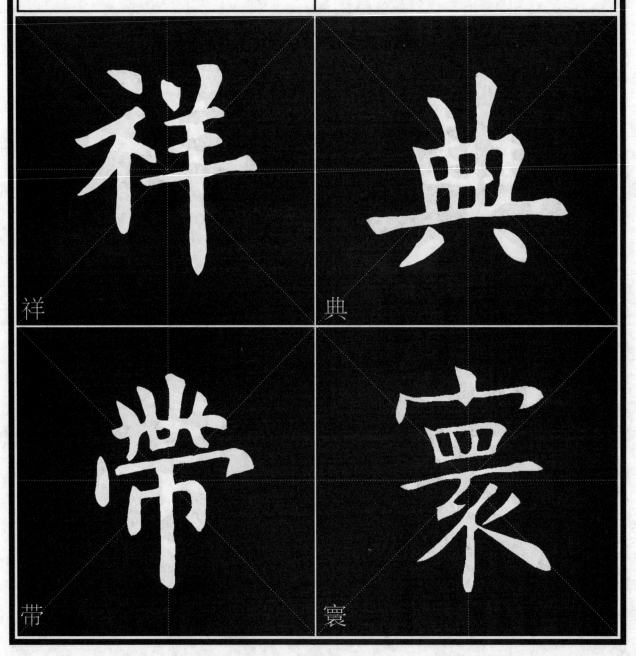

祥

典

带

寰

横偏形正

　　下列字的特点是横画一般要抗肩，也就是横画要有一定的角度，不宜过平，那么就要求其他笔画要对字的重心进行修正，即正者偏之。

偏者正之

　　下列字的特点是结构偏斜，这类的字要通过笔画的形态和笔画的空间布局来修正字的重心，使之重心平稳，即所谓斜而不歪。

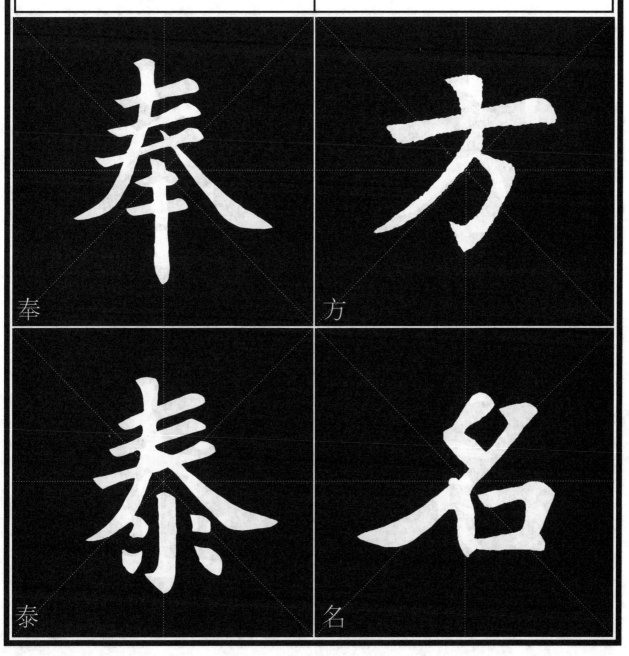

天覆之字	地载之字
下列字的特点是字的上面都有宝盖头覆盖，这类的字除极少数的字外，一般要将上面写宽阔，下部写窄长，使上部覆盖其下部。	下列字的特点是字的下面都有横向笔画托起其上部，这类的字上部要写轻些，下部分要写厚重些，使下部有足够的力量托起上部。

察

登

穿

并

上大下小

　　下列字的特点是字的上部宽大，下部窄小，这类的字要将上部的笔画写清秀，下部的笔画要写厚浊。

上小下大

　　下列字的特点是字的下面宽大，上面窄小，这类的字外形一般要写成等腰梯形，笔画处理上要上重下轻。

智

戒

当

诚

上下等高

下列字的特点是字的上下部分的高度大体相等,这类的字一般要通过笔画的长短、方向、角度来调节字的结构韵律,使其有收有放,不致因等高而使字呆板。

上中下等高

下列字的特点是字的上中下三部分的高度大体相等,这类的字一般上下宽而中间窄,这样处理的目的是使字的重心平稳,笔画有收有放。

泉

京

渠

万

中间宽

下列字的特点是字的中间部分宽阔，这类的字要将其上下部位写窄，笔画上轻下重，中间部位笔画要舒展，如鸟儿的翅膀，达到稳定字的重心的目的。

中间窄

下列字的特点是字的上下部位宽大，中间窄小，这类的字一般要将上部写平实，下部舒展有力，中间部位占据合理的空间，同时注意笔画的避让。

茅

葛

觉

禹

左右同宽

下列字的特点是字的左右部分的宽度大致相等,这类的字应注意左右笔画的相互穿插和呼应,同时合理调节左右的高度,使字的形态参差有韵。

左中右同宽

下列字的特点是字的左中右部分的宽度大致相等,这类字的中间部分要写正直,左右部分的笔画要通过笔画的高低、形态来协调字的中间部分,达到匀称的目的。

虽

榭

群

谢

左右宽中窄

　　下列字的特点是字的左右部分宽而中间窄，这类的字要将中间部分写直写短窄，将左右部分写宽写长，并通过左右的高低安排达到字的协调。

中宽左右窄

　　下列字的特点是字的中间宽而左右窄,这类的字要以中间部分为字的主体,而将左右部分作为字的附件,起到搭配作用。

循

征

瑕

澈

形体长

下列字的特点是字的形体为长方形，这类的字要将其四角写平稳，笔画的转折要有轮廓，其内部的重心一般要上提。

扁形字

下列字的特点是字的形体呈扁形，这类的字一般要将其下部写窄，而将其上部写宽，即所谓上开下合。

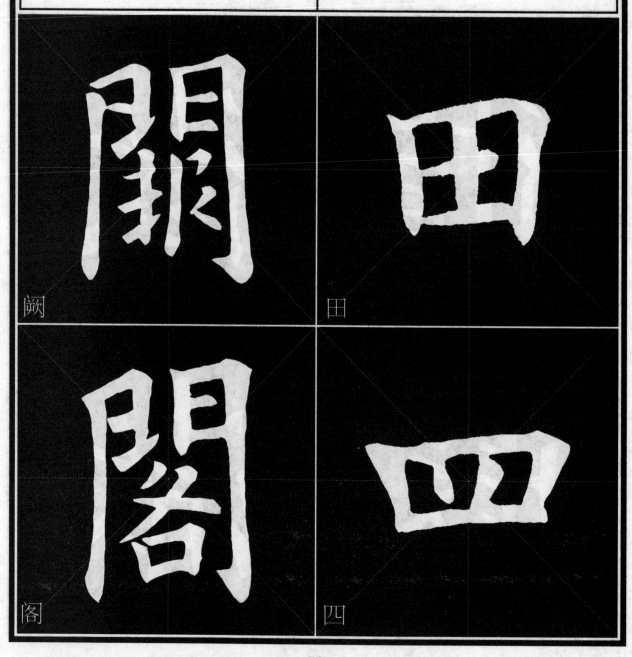

阙

田

阁

四

正 方 形

　　下列字的特点是字的形体呈正方形，这类的字一般要将其上两肩写平实，转折有轮廓，左右竖笔要垂直，以求四角平正，字形平稳。

菱 形 字

　　下列字的特点是字的形体呈菱形，这类的字要将其上下部位撑实，左右部位写足，以求上下左右、四面八方平稳匀称。

左宽右窄

下列字的特点是字的左部宽而右部窄，这类的字要将左部作为字的主体，将其写宽写实，而将其右部写厚重；同时注意左右部分的呼应和搭配。

左窄右宽

下列字的特点是字的左部窄而右部宽，这类的字要将其左部笔画写厚写实，而将其右部笔画写长写清秀，使字的重心平稳，搭配匀称。

则　源

刑　凄

左高右低

下列字的特点是字的左部分高而右部分低，这类的字要使左部重而右部轻，使左让右，二者底部应平齐。

左低右高

下列字的特点是字的左部分低而右部分高，这类的字应使其左部轻而右部重，左部重心上提，右部为主体，决定字的高度。

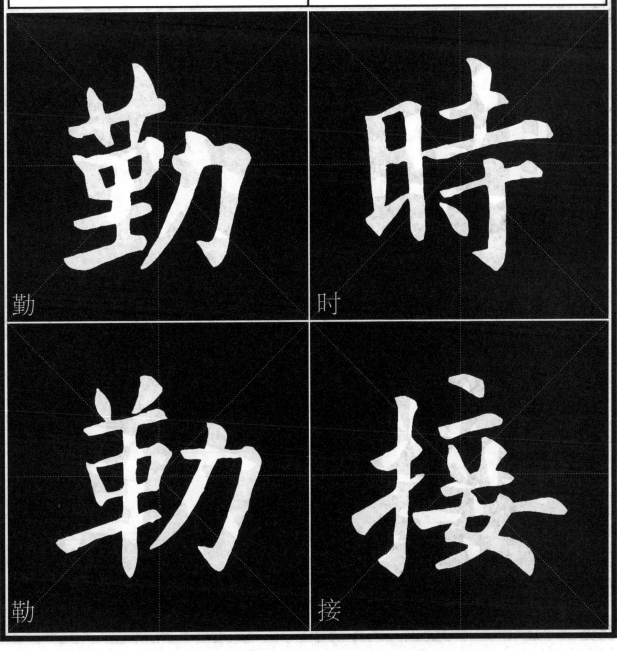

勤

时

勒

接

左小右大

下列字的特点是字的左部分窄小而右部分宽大，这类的字应让左部的重心上提，使其上部与右部分的上部大致平齐。

左大右小

下列字的特点是字的左部分重大而右部分轻小，这类的字应让左部昂头向上伸，让右部俯视，并让左右部分的底脚平齐。

晖

如

嵘

相

上左下右

下列字的特点是字的上部分偏左而下部分偏右，这类的字在安排其结构时，应让其上部笔画向左展，而使其右下笔画向右伸。

上右下左

下列字的特点是字的上部分偏右而下部分偏左，这类的字在安排其笔画时，应让其上部笔画向右舒展，而让其左部笔画向右扩张。

在

咸

廊

盛

形体宽	形体窄
下列字的特点是字的形体较宽，这类的字应将其纵向笔画缩短，而将其横向笔画写舒展，中间分隔的布白均匀。	下列字的特点是字的形体较窄，这类的字一般要将纵向笔画写长，横向笔画写短，字的重心应上提，使字的下部布白较开阔。

游

丹

避

月

笔画疏

下列字的特点是字的笔画较少，在构成字时使字的笔画布局较疏，这类的字在书写时应尽量让笔画丰满、厚实，运笔要符合规范。

笔画密

下列字的特点是字的笔画多，排列紧密，这类字的笔画书写要清秀，有长有短，布局均匀，同时笔画间要注意穿插和避让。

尤

龄

乏

灵

结构简单

　　下列字的特点是字的笔画少,间架结构简单,这类的字在书写笔画时应尽量写得厚实些,字的大小应适当,笔画要长而遒劲。

重　复

　　下列字的特点是字的某一组成部分或某一笔画在字中重复,这类的字在书写重复部分时一般应用笔清秀,大小适宜,空间布白合理。

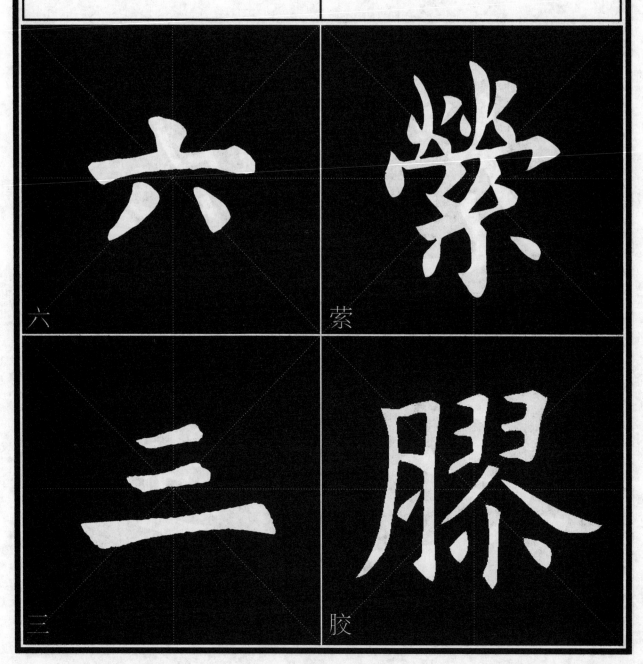

六

萦

三

胶

笔画少

下列字的特点是字的笔画少，结构简单，这类的字在书写时应尽量让笔画粗壮，用笔工整，间架要正，同时注意横短撇长，或横长竖短。

笔画繁多

下列字的特点是字的笔画多，结构紧密，这类的字在书写时尽量让笔画清秀而不肥厚，排列整齐有序，注意笔画的相互穿插。

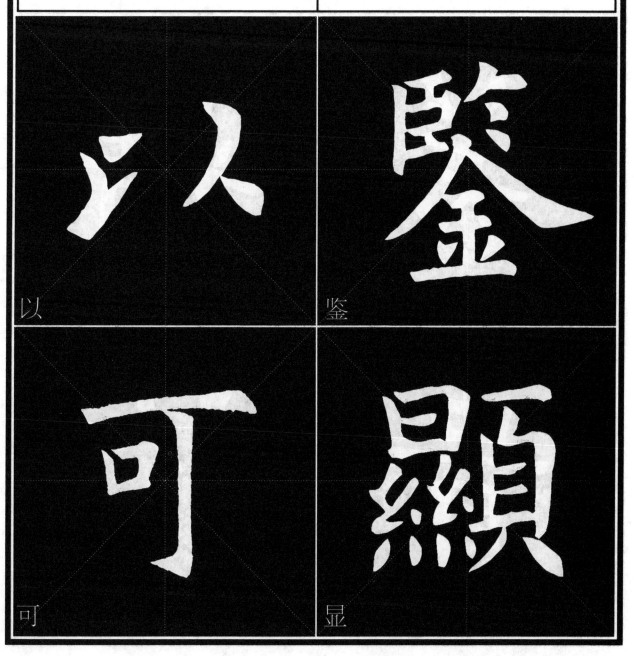

以

鉴

可

显

长短适宜

下列字的特点是字的笔画有长有短,书写这类字时,应尽量对笔画的长短、肥瘦、俯仰进行合理的调度,使之婀娜多姿。

肥瘦得当

下列字的特点是字的笔画有肥有瘦,有阴有阳,书写这类的字应将字的肥瘦搭配好,阴阳相合,务求肥瘦调和。

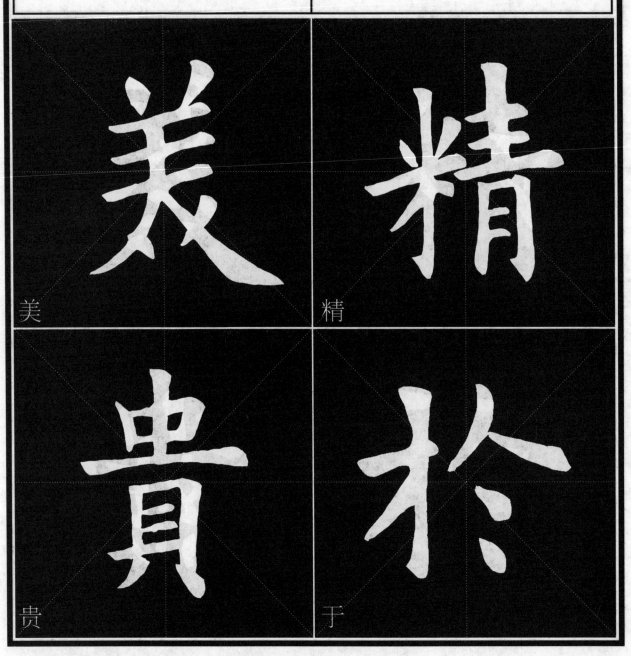

美

精

贵

于

大小调匀

下列字的特点是字的左右有大有小,这类的字在书写时应将笔画多且大的部分调细调匀,将笔画少的部分调大和厚实,使之相互化解,相得益彰。

疏密调匀

下列字的特点是字的两部分的笔画有多有少,书写这类的字应注意将笔画多的部分写得轻小精细,而将笔画少的部分写得肥大,务求疏密调和。

避密就疏

　　下列字的特点是字的有些部分笔画多,有些部分笔画少,书写时应将多的部分的笔画向少的部位调配,避多就少,避密就疏。

虚实穿插

　　字的有些部位的布白大,而有些部位的布白小,书写时应尽量将笔画向布白大的部位穿插,而将布白小的部位的笔画写清秀,写均匀。

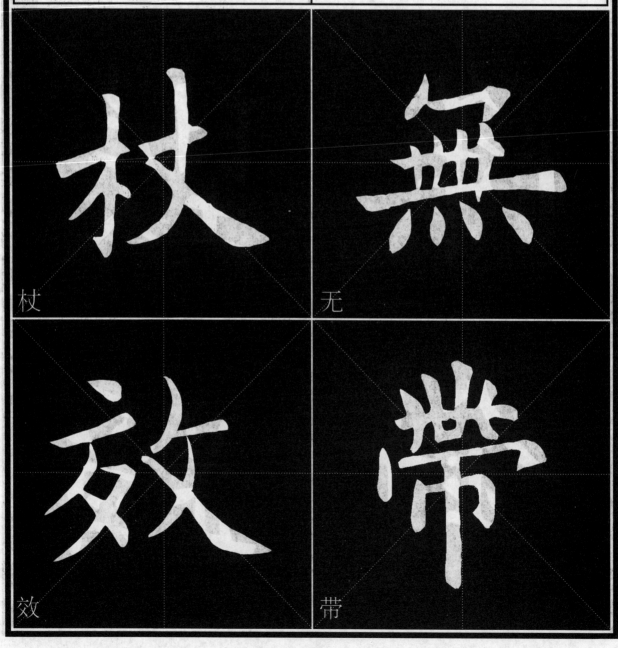

杖　无

效　带

避密就疏

　　下列字的特点是字的左右部位笔画多少不一，书写这样的字时，应将笔画少的部位写实，并置于显著位置，而将笔画多的部位写虚。

就空补缺

　　有些字在安排间架结构时，出现空白部位过大的问题，书写时应在力保不写错的情况下，将字的其他笔画安排在空白处，使之均匀。

城

成

能

几

形断意连

在处理字的多点画时,应将点画尽量按照内在的连接关系体现出来,在点的形态、角度、运笔走向上下功夫。

上下承启

字的上一笔画应与接下来的下一笔画有相对紧密的联系,也就是上启下承,上呼下应,上关下联。

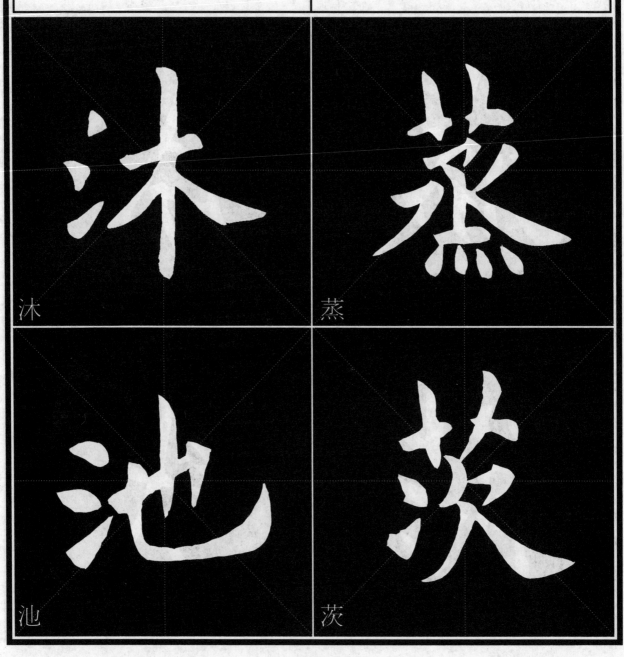

沐

蒸

池

茨

一字多横	一字多竖
下列字的特点是在一字当中有数个横画,书写这类字时,应对横画作多样化的处理,包括长短、俯仰、阴阳等,同时应力保其内在的有机联系。	下列字的特点是在一字当中有数个竖画,书写这类字时,应对不同的竖采取多样化的处理,包括长短、曲直、高低等,同时应力保其内在的有机联系。

笔

俯

理

井

一字多捺

下列字的特点是在一字当中有两个或两个以上的捺画，书写这类字时应对捺画作形态、长短、方向、角度的合理处理，使之多样化。

一字多钩

下列字的特点是在一字当中有两个或两个以上的钩画，书写这类字时应对钩画的明暗、长短、形态和出钩的方向作合理的处理，使之多样化。

炎

冠

养

纪

同向钩的处理

　　下列字的特点是在一字当中有两个或两个以上的同一方向的钩画，书写这类字时应对钩的明暗、形态和出钩的角度作合理处理，使之各不相同。

同形并列

　　下列字的特点是在一字当中有同一部件并列出现，书写这类字时应将同类部件作形态、大小，以及用笔上的合理处理，使之各不相同，相互呼应。

引

劳

弱

莹

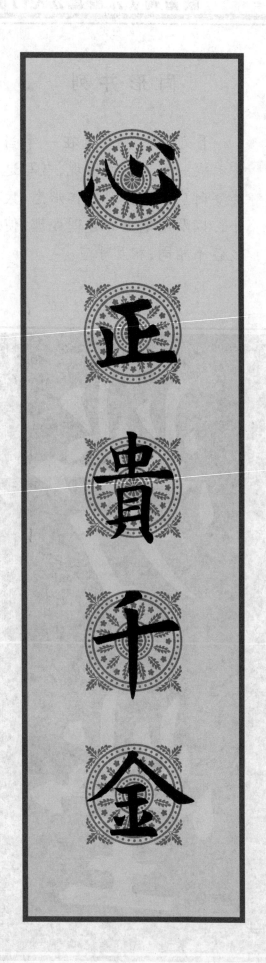

心正貴千金

人勤生百福

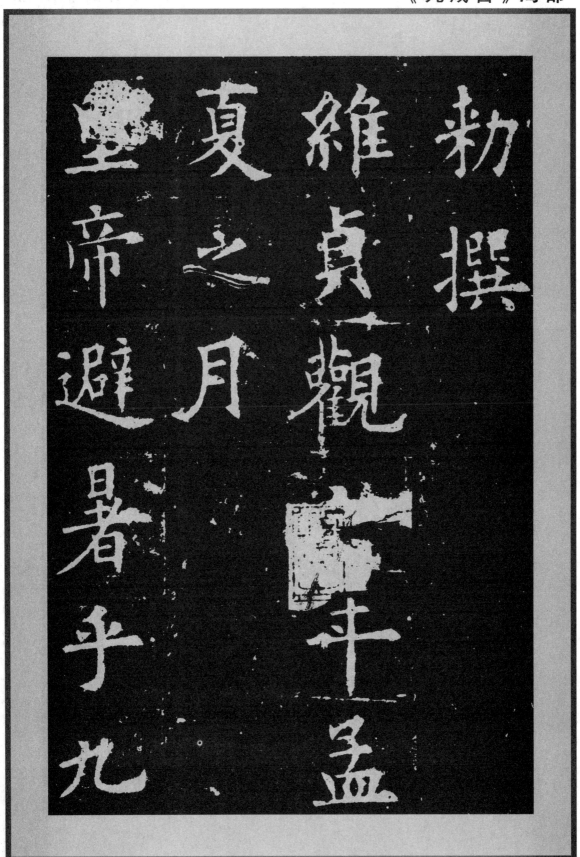

成之宮此則隨
之仁壽宮也冠
山抗殿絶壹為
池跦水架楹分

百尋下臨則峰
嵷千仞珠壁交
暎金碧相暉照
灼雲霞蔽虧日

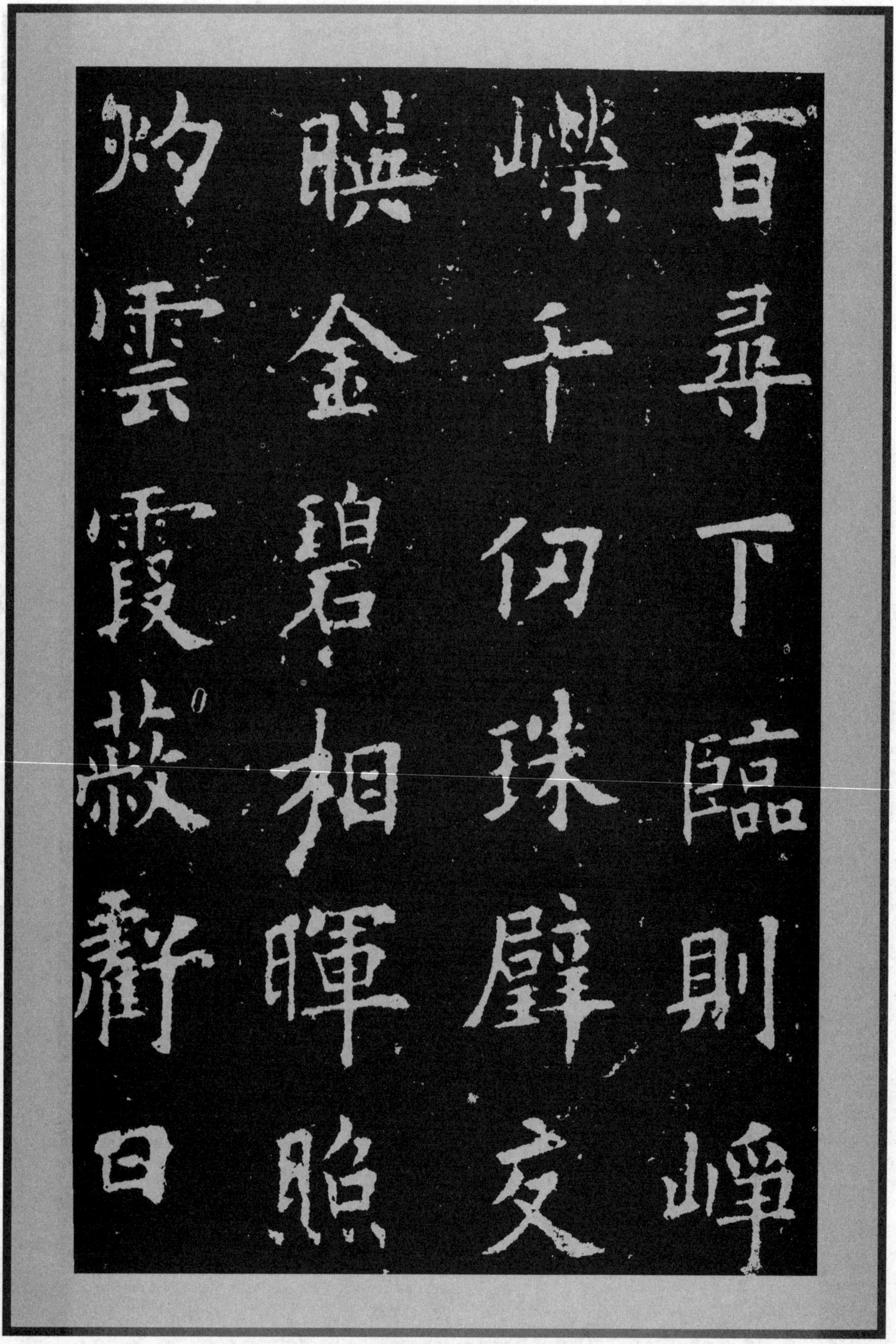

金無爨蒸之氣
微風徐動有淒
清之涼信安體
之佳所誠養神

荒　吾　龜　今

沇　薛　王　干

青　阿　雄　吾

隣　遭　兆

義　昌　取

陵　侯　起

丰腴之上，求其疏密；以墨丰笔健，横画主于隶，隶书主于波磔也。

十、横画之下方者，隶书主横画，如蚕头燕尾之态也。

《乙瑛碑》